康里子山草書述張旭筆法

彩色放大本中國著名碑帖

孫寶文 編

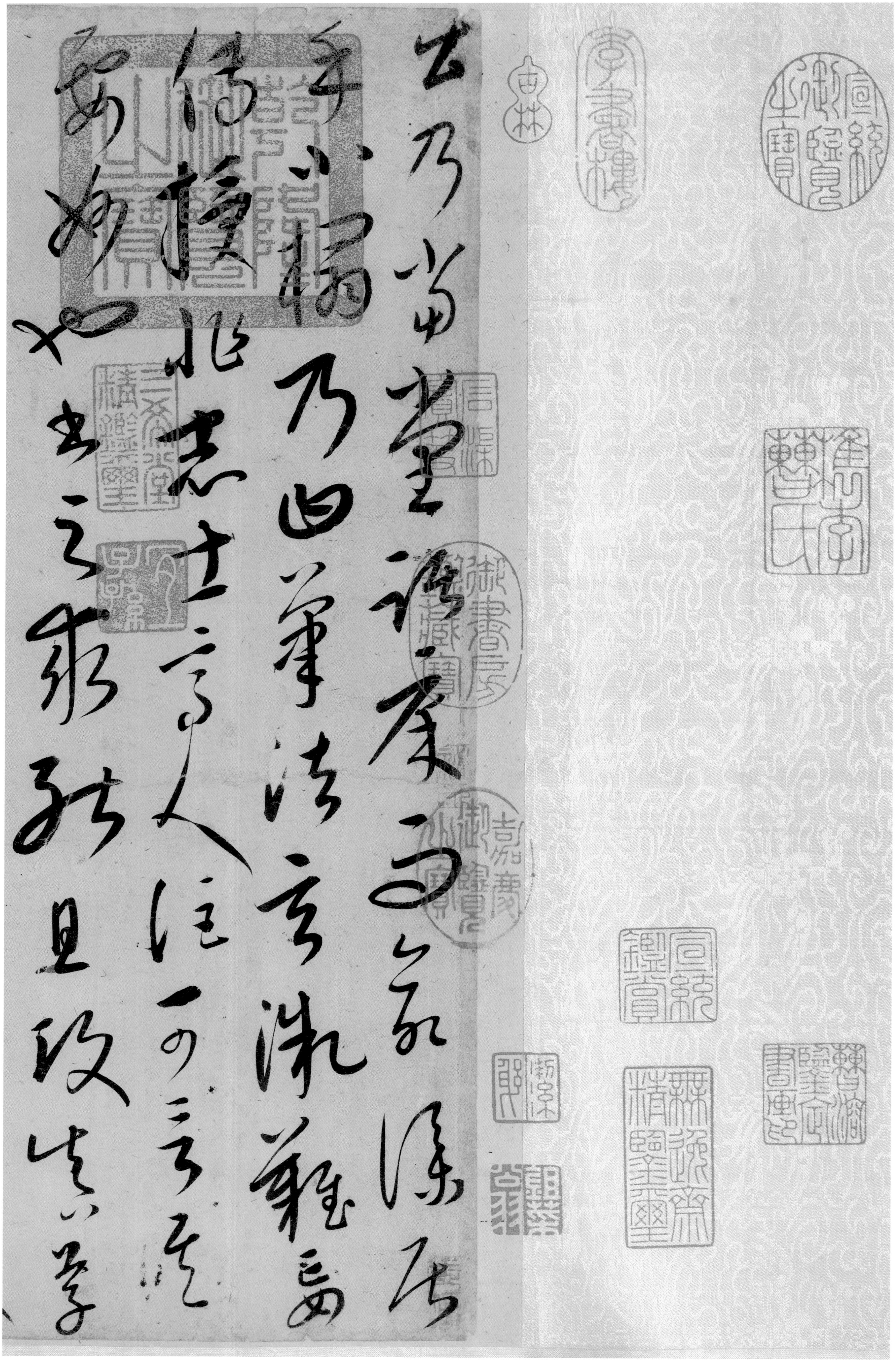

述張旭筆法

公乃當堂踞床而命僕居乎小榻乃曰筆法玄微難妄传授非志士高人詎可言其要妙也书之求能且攻真草

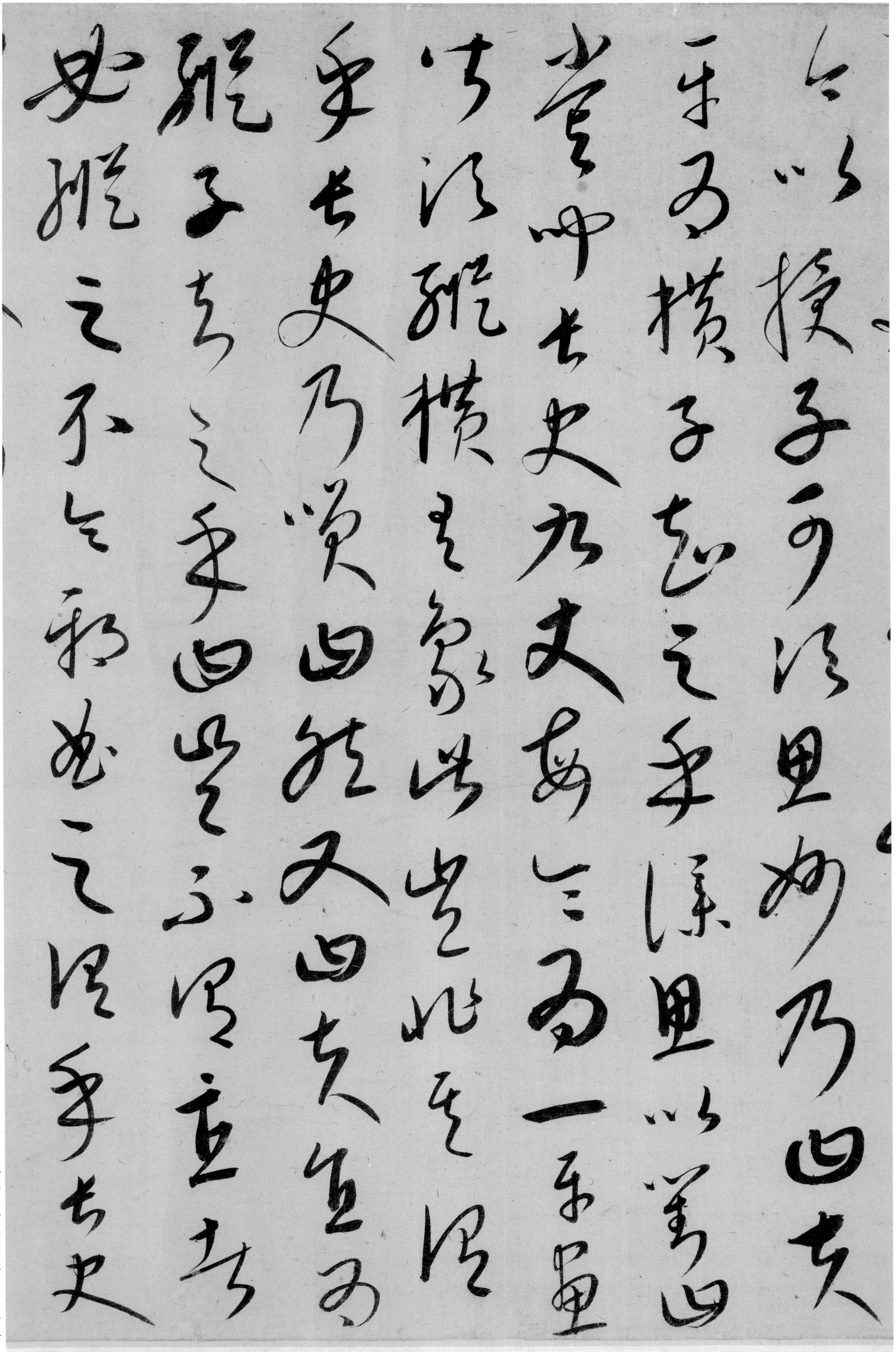

今以授子可須思妙乃曰夫平为横子知之乎僕思以對曰嘗聞长史九丈每令为一平畫皆須縱横有象此豈非其謂平长史乃咲曰然又曰夫直为縱子知之乎曰豈不謂直者必縱之不令邪曲之謂乎长史

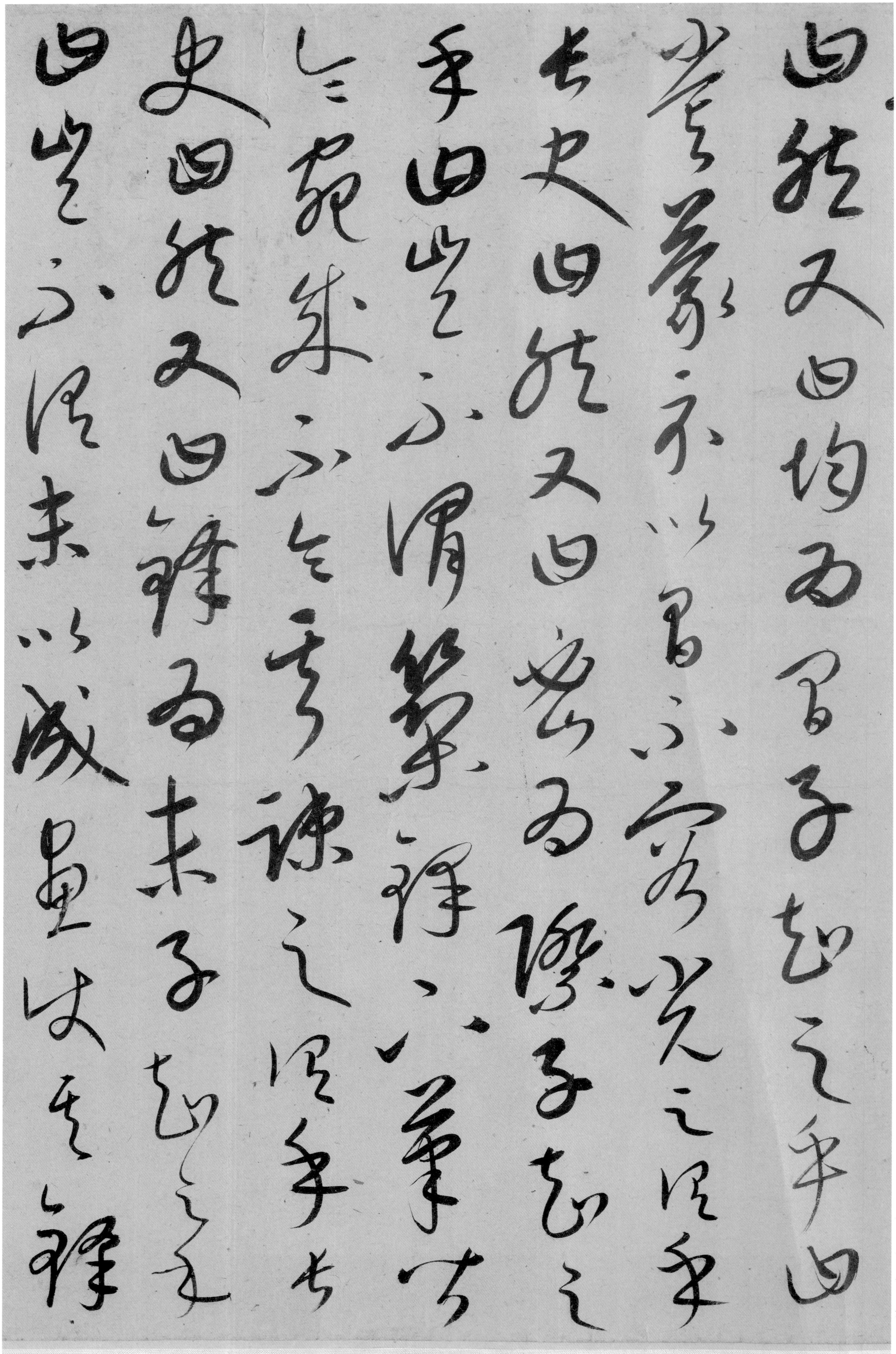

曰然又曰均为間子知之乎曰嘗蒙示以間不容光之謂乎长史曰然又曰密为際子知之乎曰豈不謂築鋒下筆皆令宛成不令其疎之謂乎长史曰然又曰鋒为末子知之乎曰豈不謂末以成畫使其鋒

健之謂平長史曰然又曰力為骨體子知之平日豈不謂趯筆則點畫皆有筋骨字體自然雄媚之謂平長史曰然又曰輕為曲折子知之平日豈不謂鈎筆轉角折鋒輕過亦謂轉角為暗過之謂平

健之謂乎長史曰然又曰徒
揩子知之乎吾曰嘗聞於褚
長史也豈不謂口口糧筆
自然犹横媚之乎長史
曰然又曰輕謂曲
折子知之乎吾曰豈不
謂鈎筆轉角折鋒輕過
亦謂轉角為暗過之乎
長史曰然

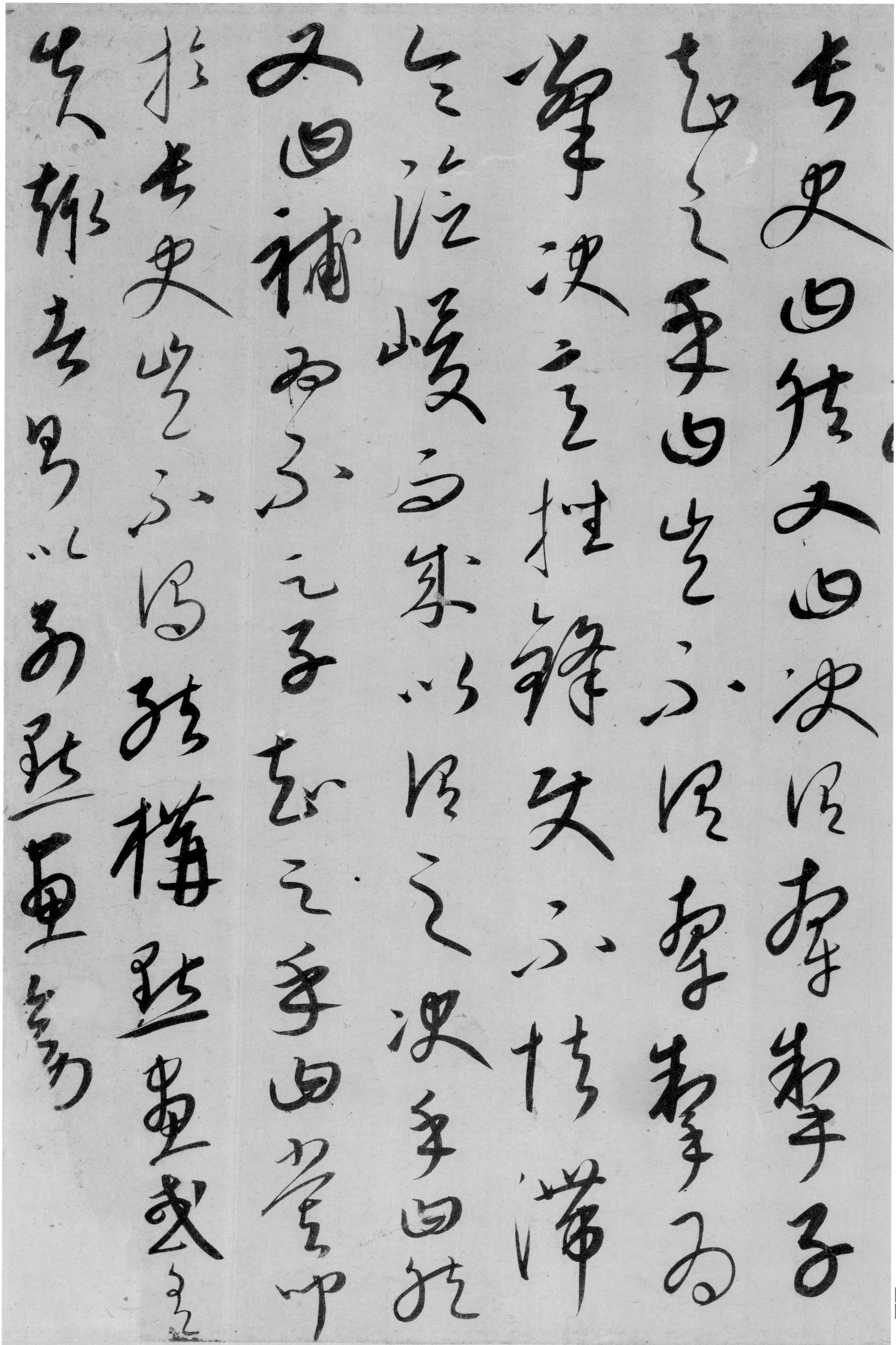

长史曰然又曰决謂牽掣子知之乎曰豈不謂牽掣为撇决意挫鋒使不怯滯令險峻而成以謂之决乎曰然又曰補为不足子知之乎曰嘗聞於长史豈不謂結構點畫或有失趣者則以別點畫旁□□

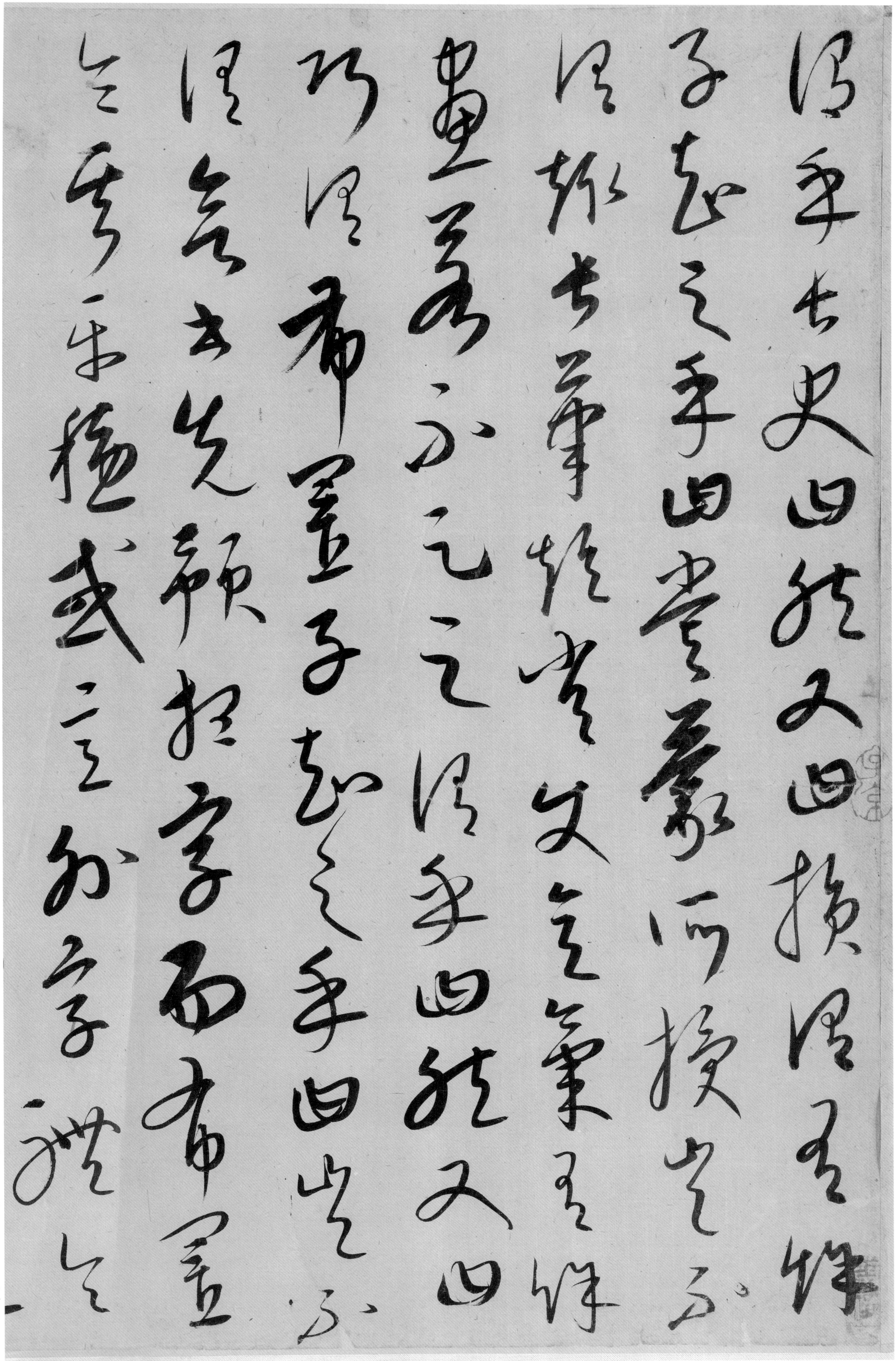

謂平长史曰然又曰損謂有餘子知之乎曰嘗蒙所授豈不謂趣长筆短常使意氣有餘畫若不足之謂乎曰然又曰巧謂布置子知之乎曰豈不謂欲书先預想字而布置令其平穩或意外字體令

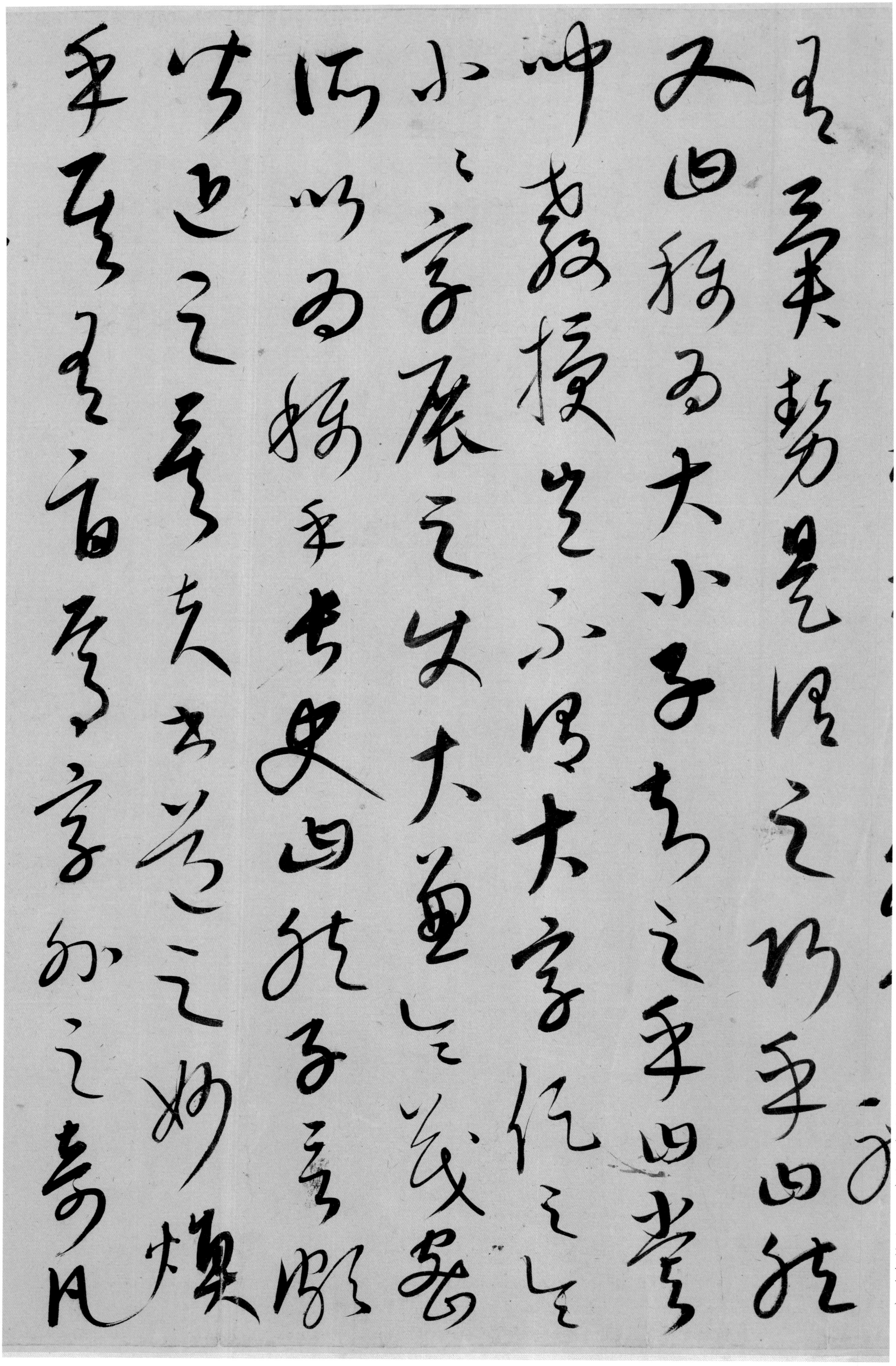

有異勢是謂之巧乎曰然又曰稱为大小子知之乎曰嘗聞教授豈不謂大字促之令小小字展之使大兼令茂密所以为稱乎长史曰然子言頗皆近之矣夫书道之妙焕乎其有旨焉字外之奇凡

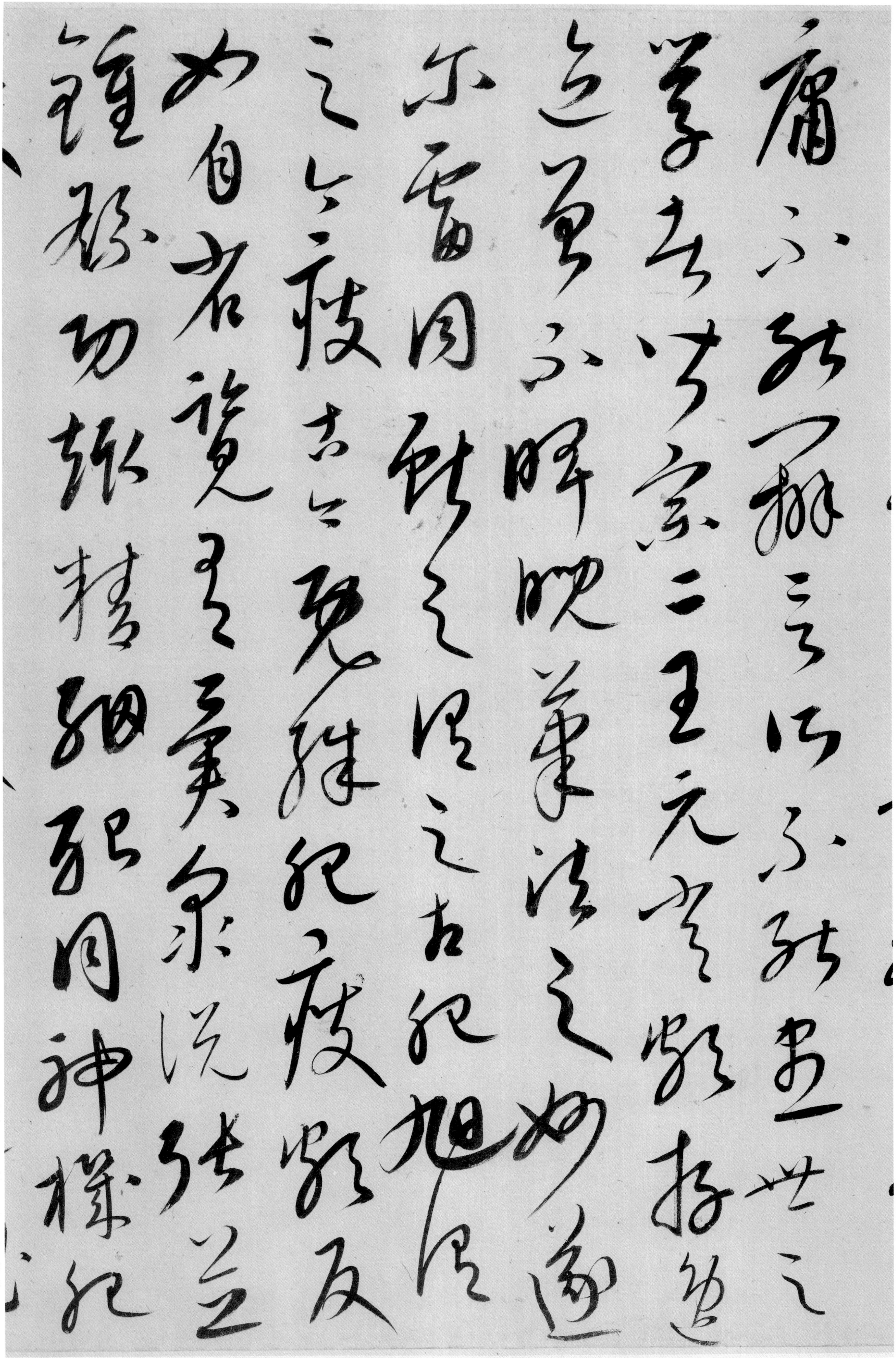

庸不能辩言所不能盡世之学者皆宗二王元常頗存逸迹曾不睥睨筆法之妙遂尔雷同獻之謂之古肥旭謂之今瘦古今既殊肥瘦頗反如自省覽有異衆説张芝鍾繇功趣精細殆同神機肥

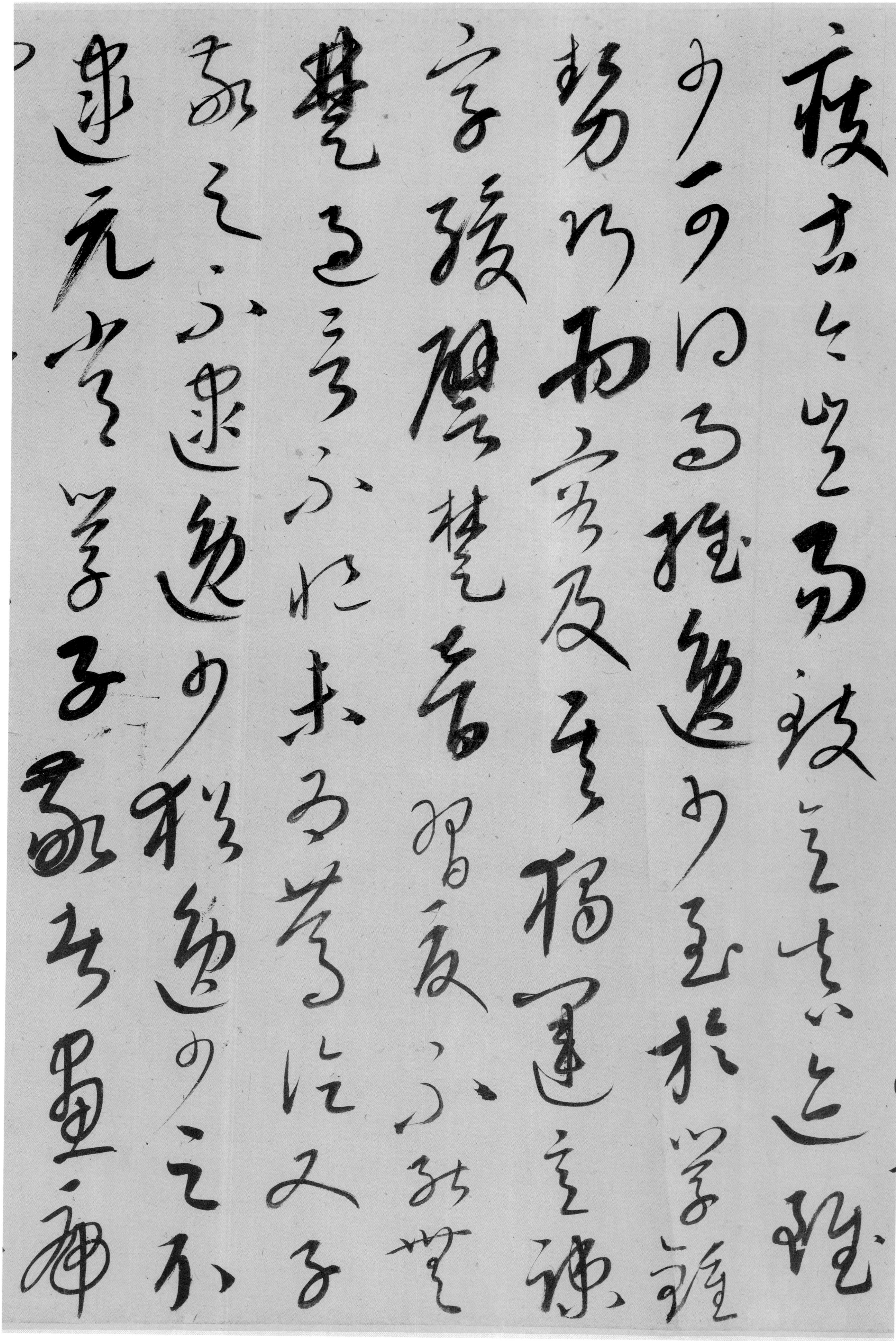

瘦古今豈易致意真迹雖少可得而推逸少至於学鍾勢巧形容及其獨運意踈字緩譬楚音習夏不能無楚過言不悒未为篤論又子敬之不逮逸少猶逸少之不逮元常學子敬者畫虎

也學元常者畫龍也手雖不習久得其道不習而言必慕之顛儻著巧思思盈半半矣子其勉之工若精勤悉自當为妙筆真卿前請曰幸蒙长史九丈传授用筆之法敢問攻书之妙

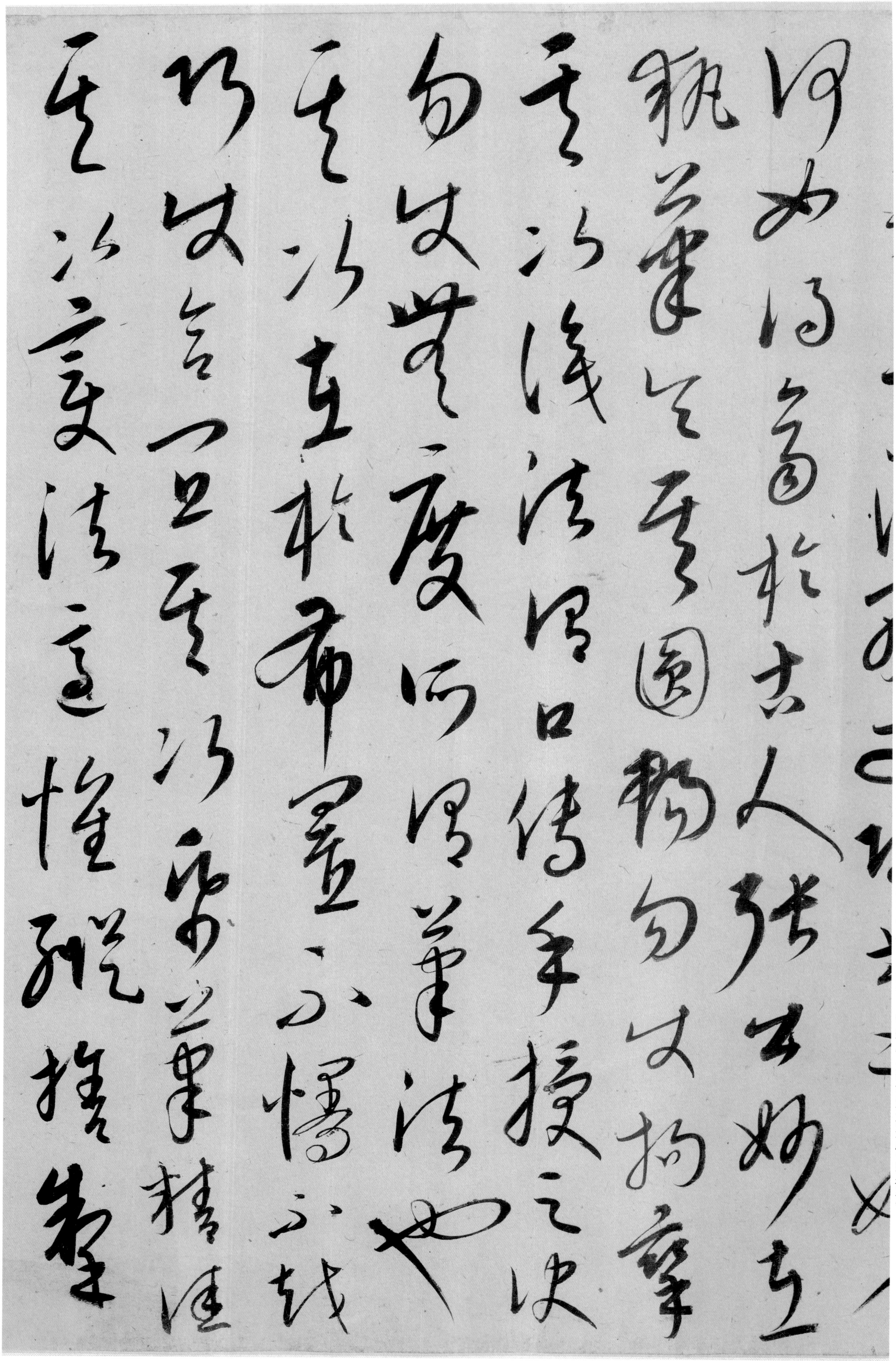

何如得齊於古人張公妙在執筆令其圓暢勿使拘攣其次識法謂口传手授之訣勿使無度所謂筆法也其次在於布置不慢不越巧使合宜其次帋筆精佳其次變法適懷縱捨掣

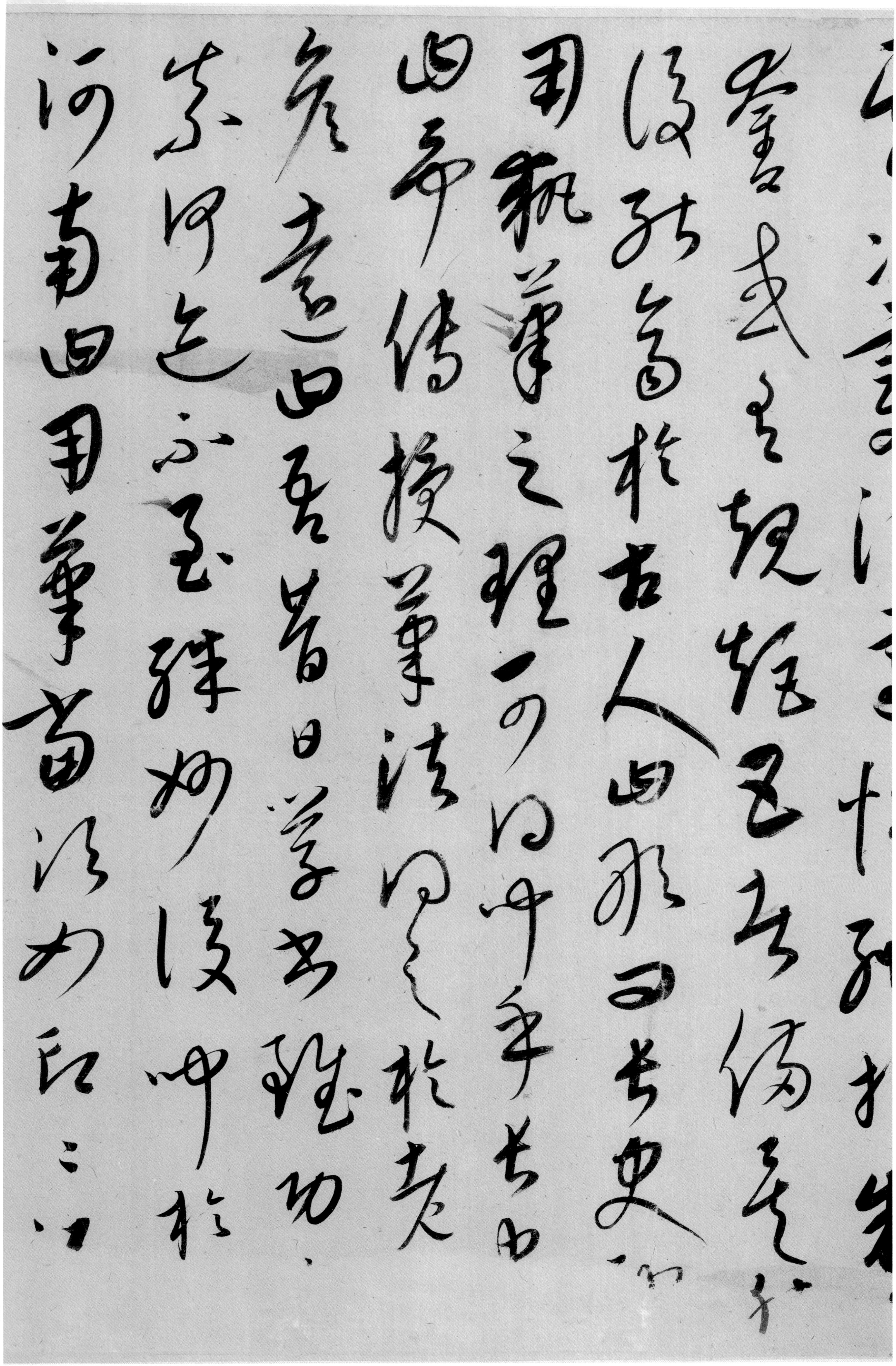

奪或有規矩五者備矣然後能齊於古人曰敢問長史□用執筆之理可得聞乎長史曰予传授筆法得之於老□彥遠曰吾昔日學书雖功□奈何迹不至殊妙後聞於□河南曰用筆當須如印印□

思所不悟後於江島遇□沙平地靜令人意悅欲□乃偶以利鋒畫而书之其勁險之狀明利媚好自兹□悟用筆如錐畫沙使其□鋒畫乃沉著當其用□常欲使其透過紙□

此功成之極矣真草用□悉如畫沙點畫净媚則其道至矣如此則其迹可久自然齊於古人但思此理以專想功用故其點畫不得妄動子其书紳子遂銘謝逡巡再拜而退自

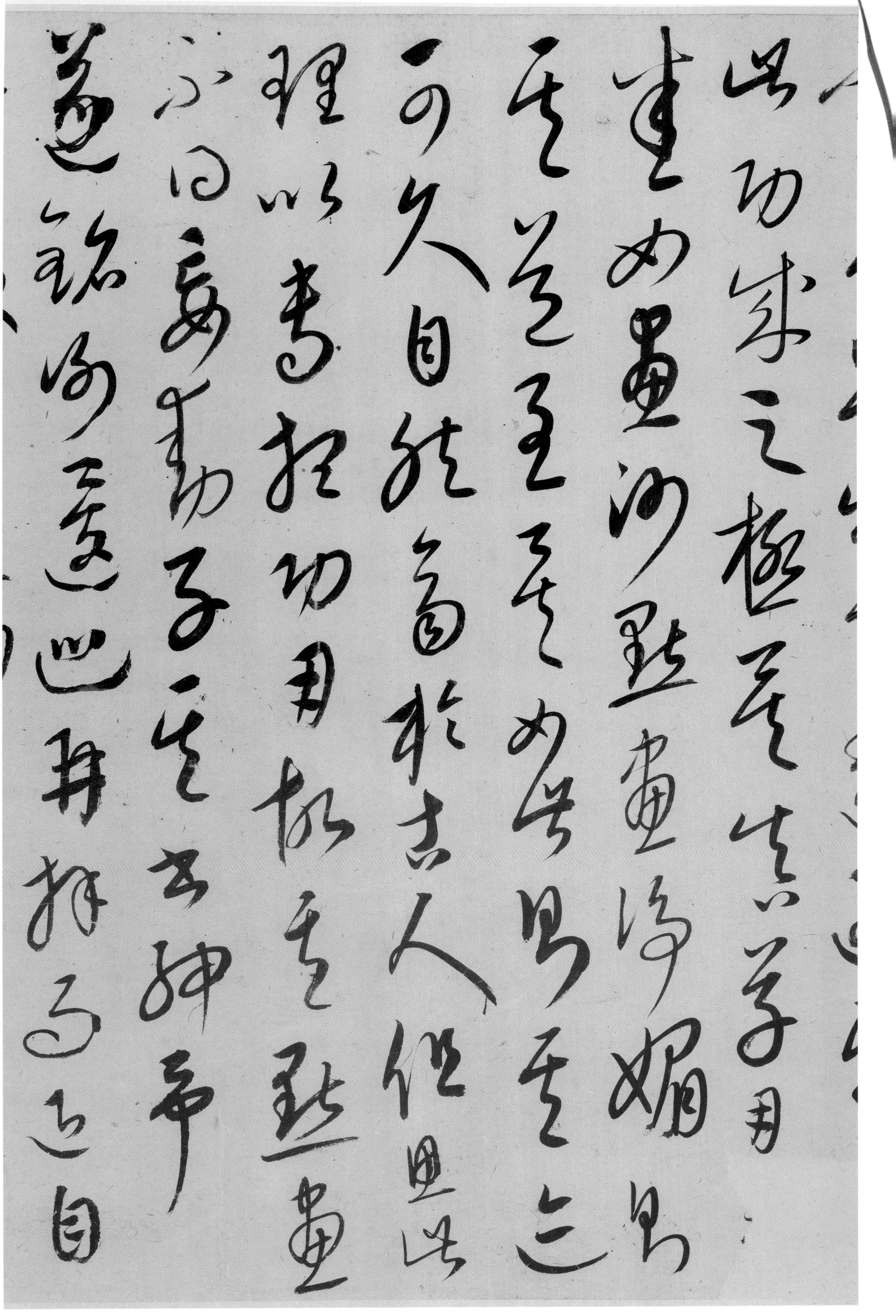

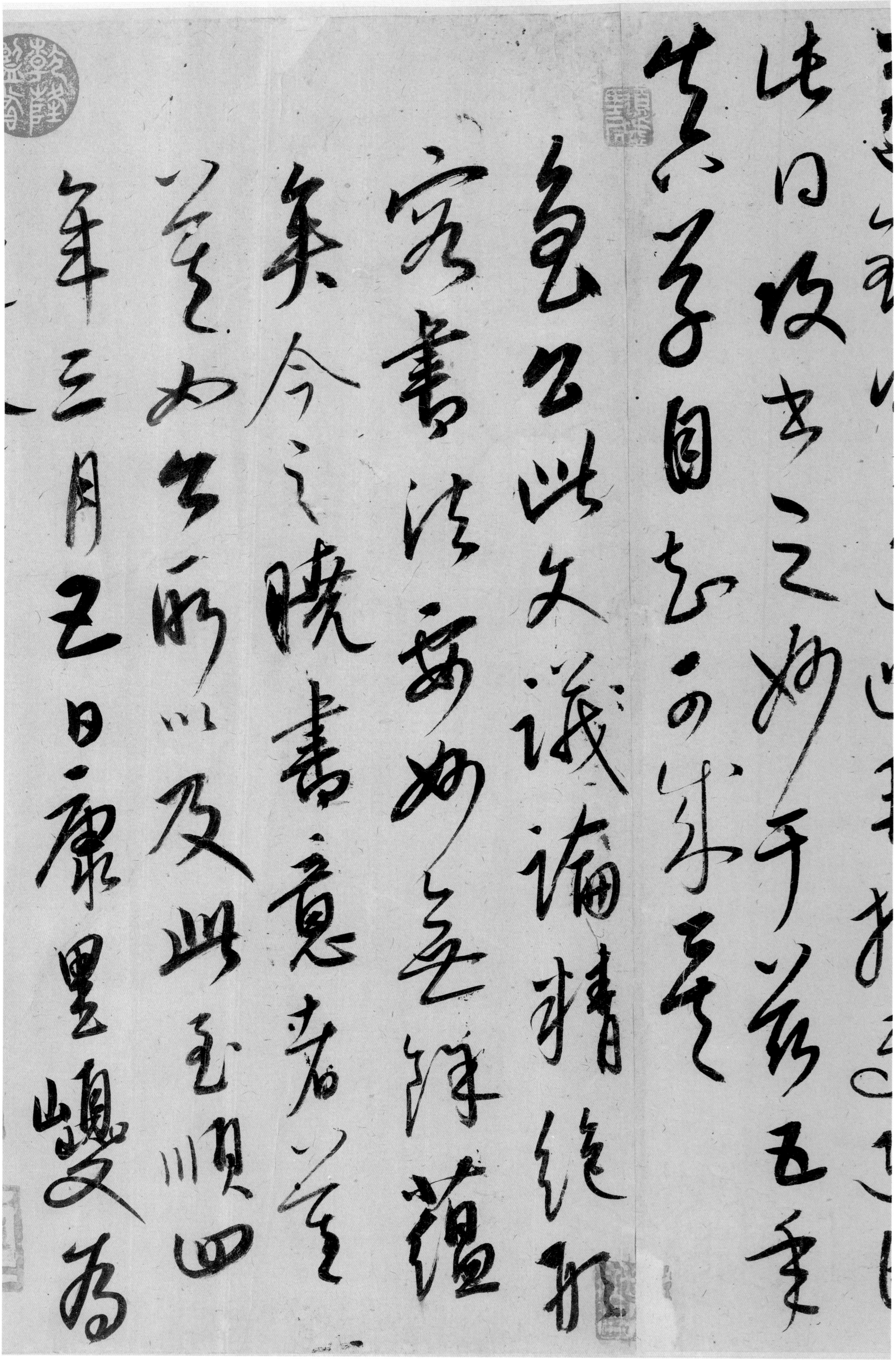

此得攻书之妙于兹五年真草自知可成矣

魯公此文議論精絶形容書法要妙無餘蘊矣今之曉書意者莫莫如公所以及此至順四年三月五日康里巎為

麓菴大學士書

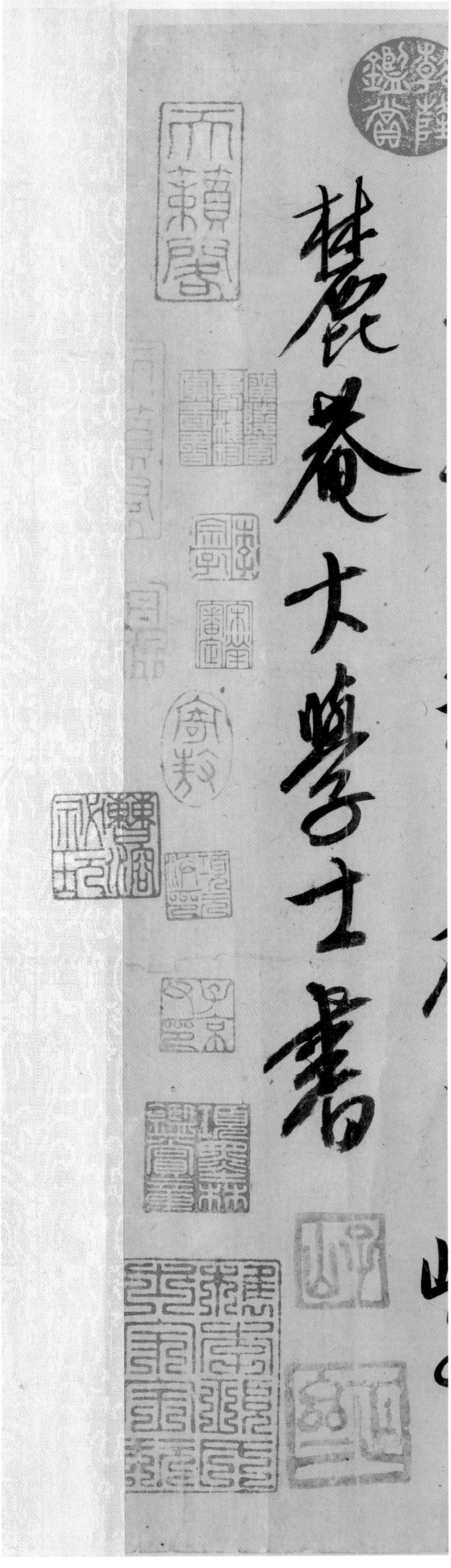

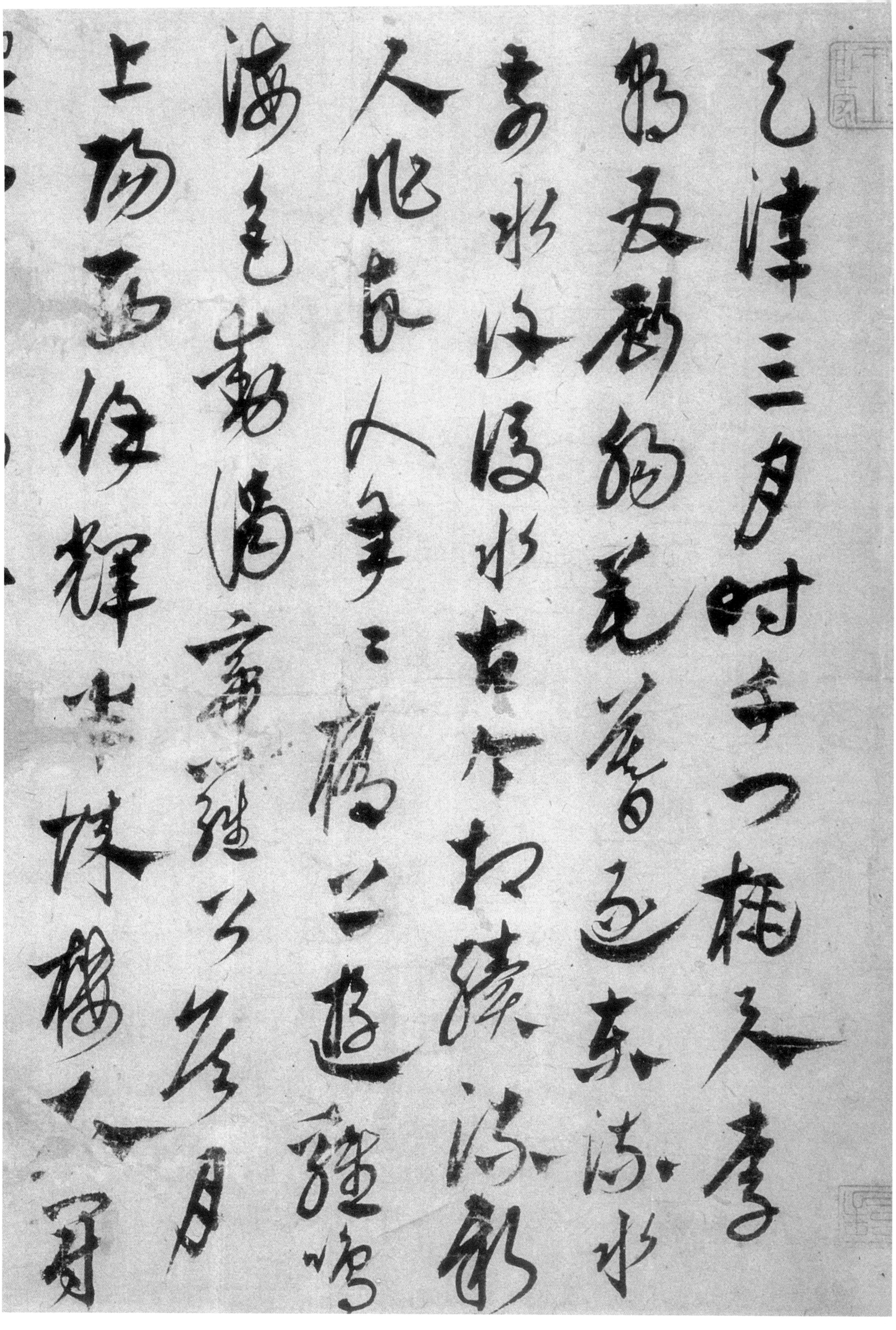

天津三月时千门桃與李朝爲斷腸花暮逐东流水前水復後水古今相續流新人非故人年年橋上遊鷄鳴海色動謁帝羅公侯月(落)上陽西餘輝半城樓衣冠

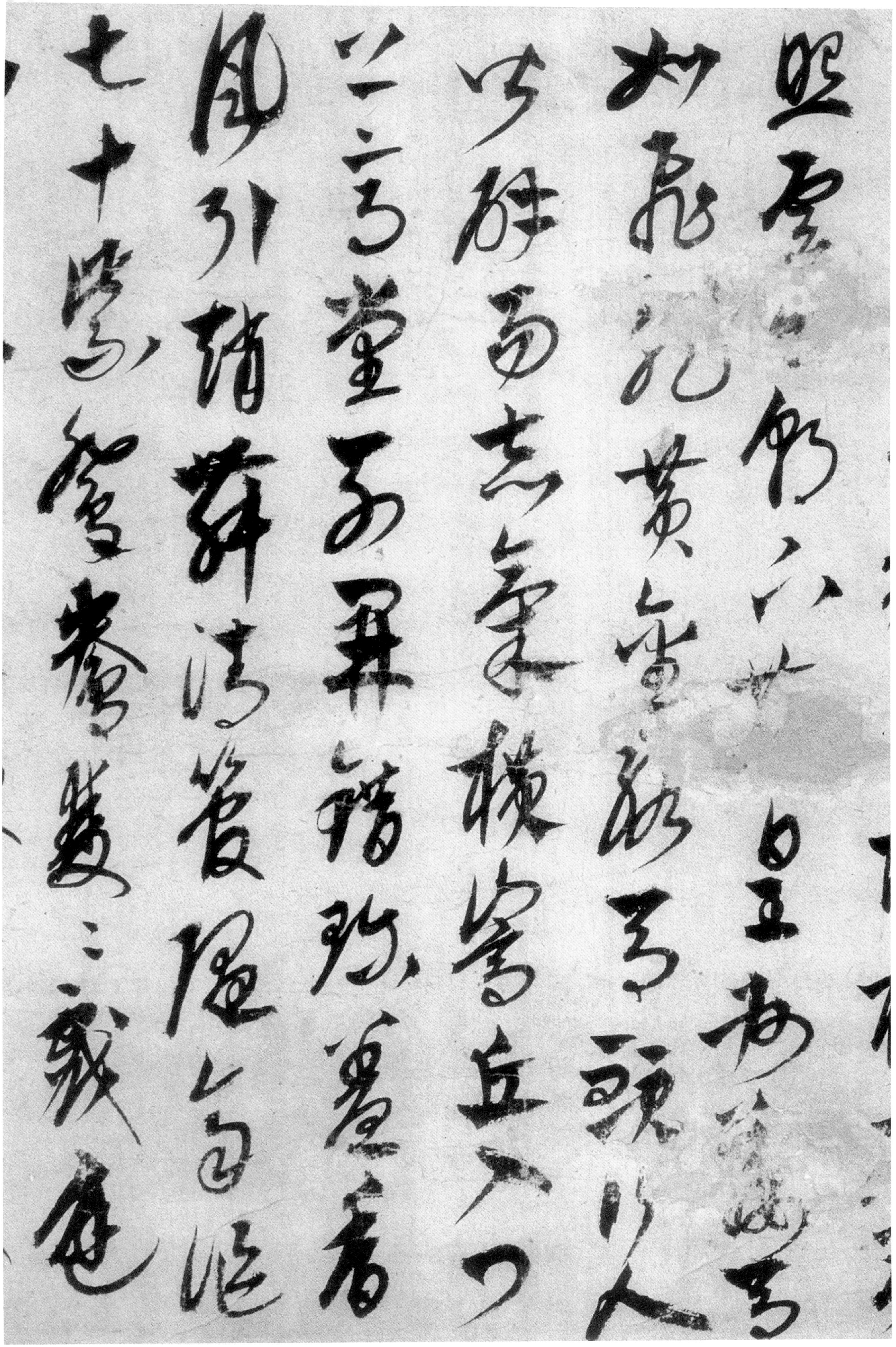

照雲□朝下□皇州鞍馬如飛龍黄金絡馬頭行人皆辟易志氣横嵩丘入門上高堂列鼎錯珎羞香風引趙舞清管隨齊謳七十紫鴛鴦雙雙戲庭

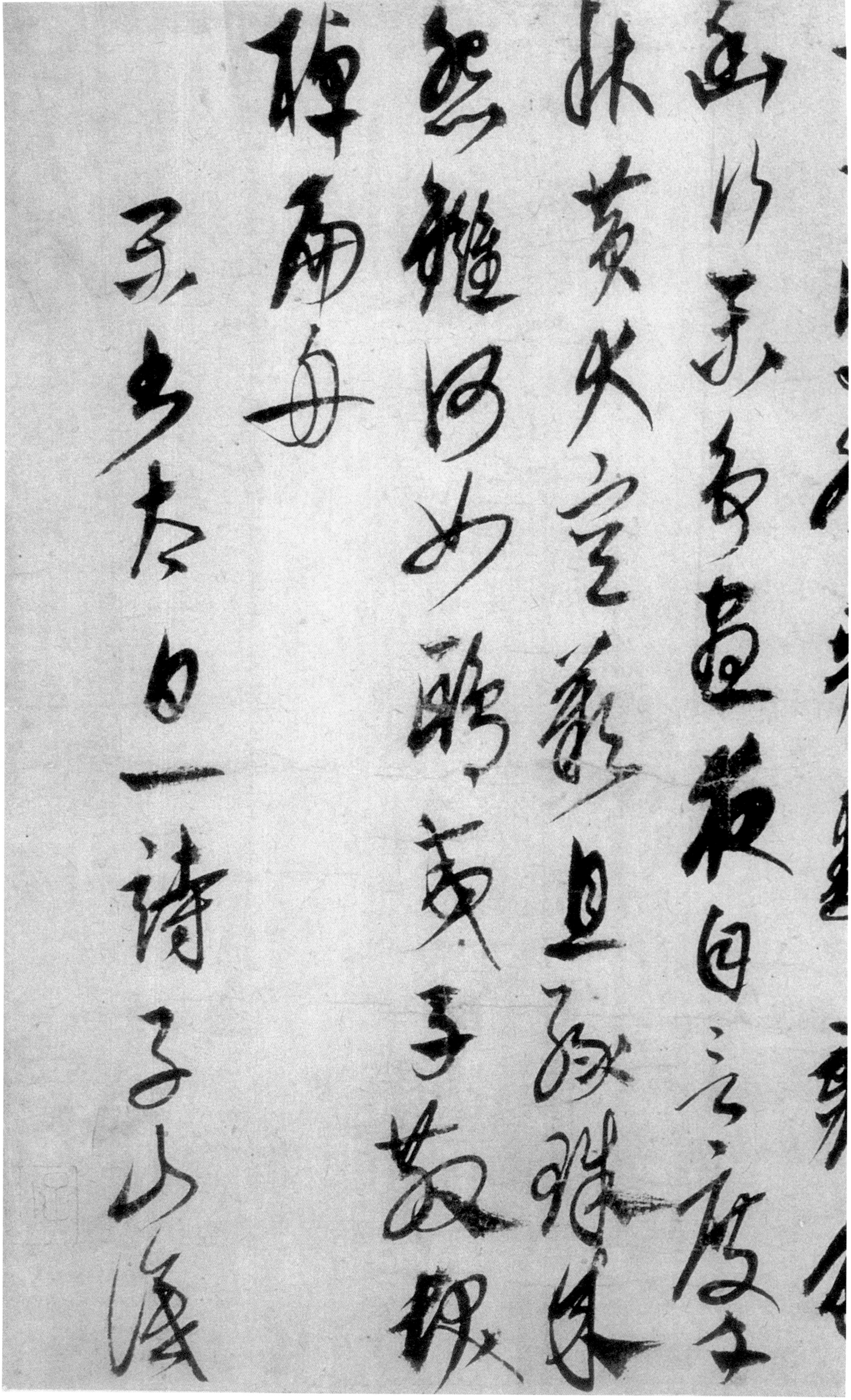

幽行乐争畫夜自言度千秋黄犬空歎息緑珠成怨讎何如鴟夷子散髮棹扁舟　闲书太白一詩　子山識

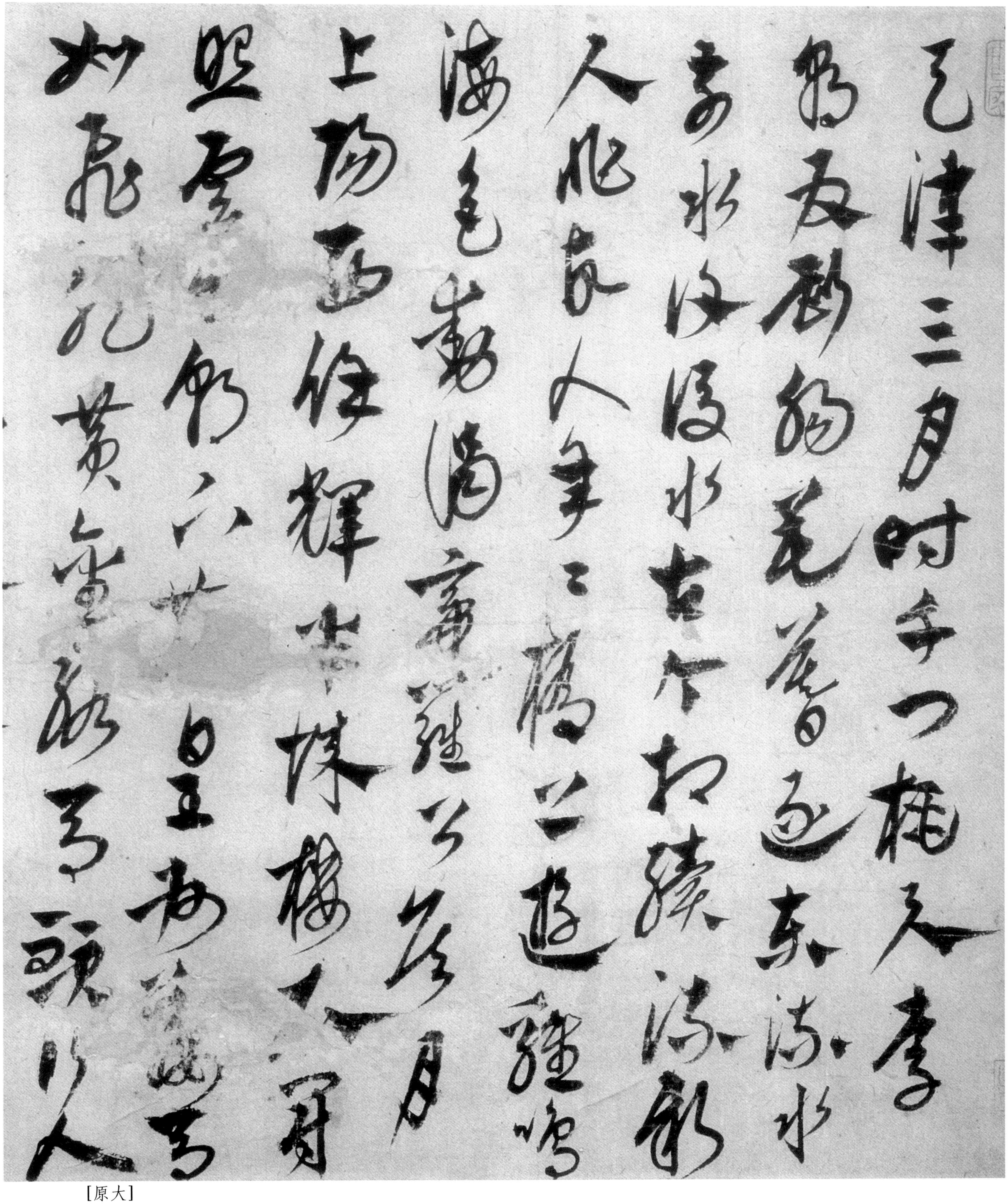

[原大]

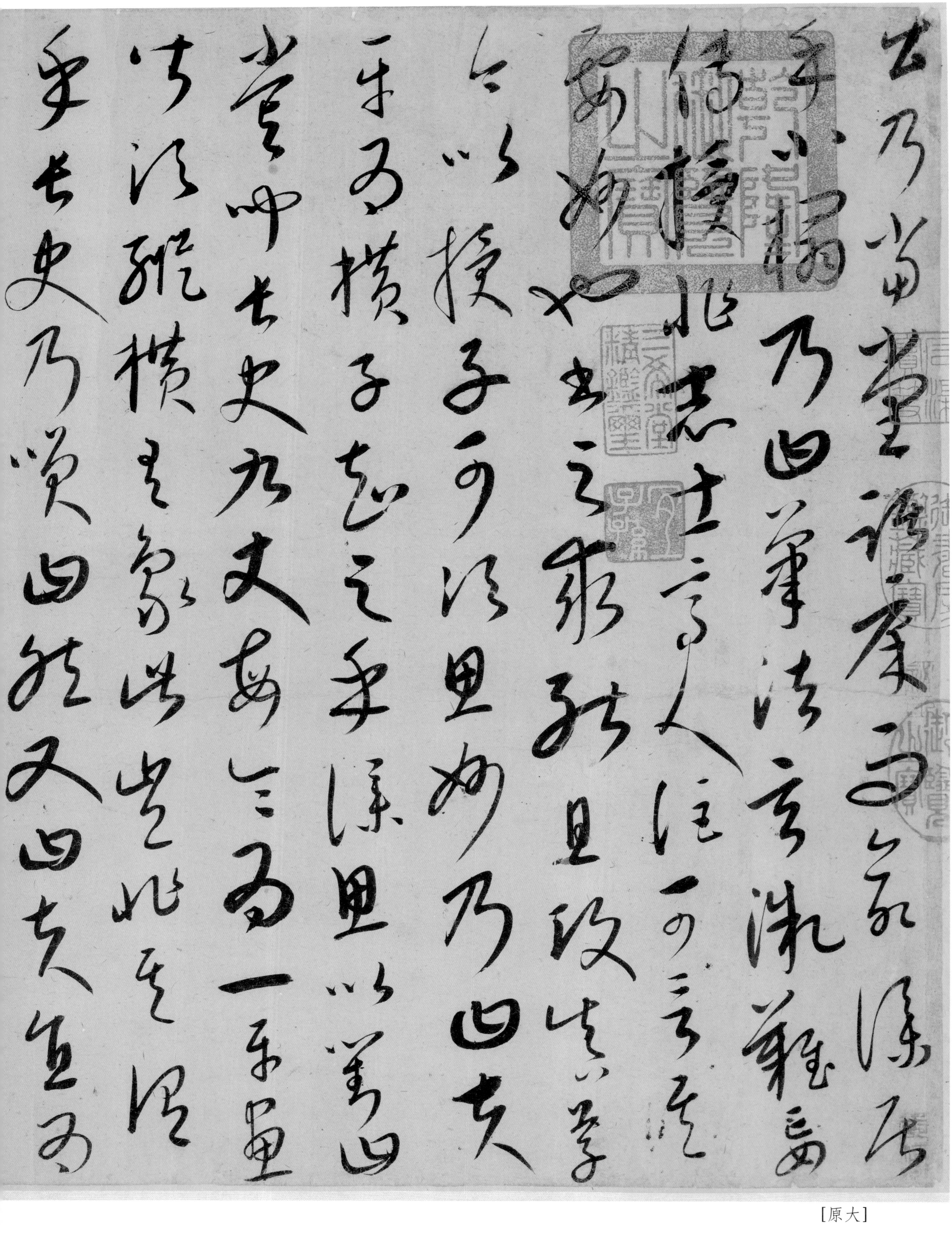

[原大]

縱子知之乎曰豈不謂直者
必縱之不令邪曲之謂乎長史
曰然又曰均謂間子知之乎曰
嘗蒙示以間不容光之謂乎
長史曰然又曰密謂際子知之
乎曰豈不謂築鋒下筆皆
令宛成不令其疏之謂乎長
史曰然又曰鋒謂末子知之
曰豈不謂末以成畫使其鋒

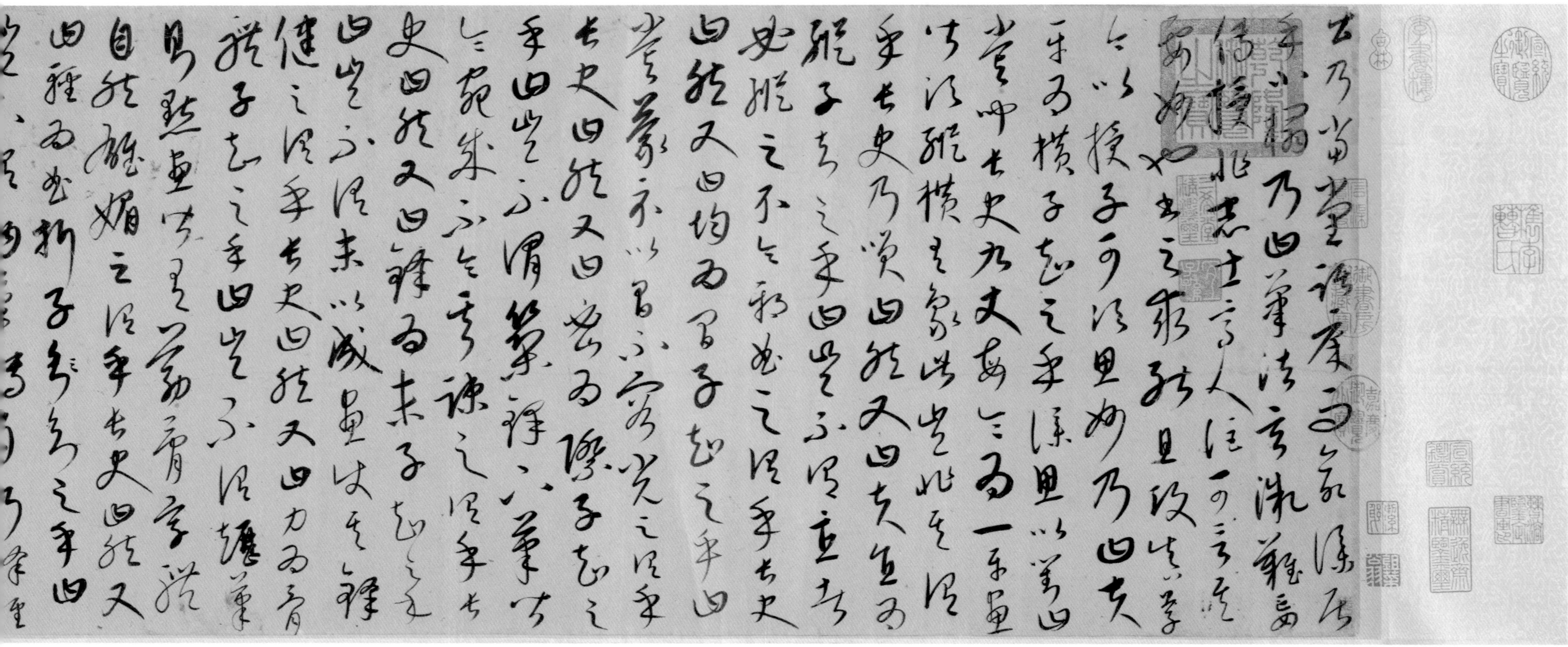

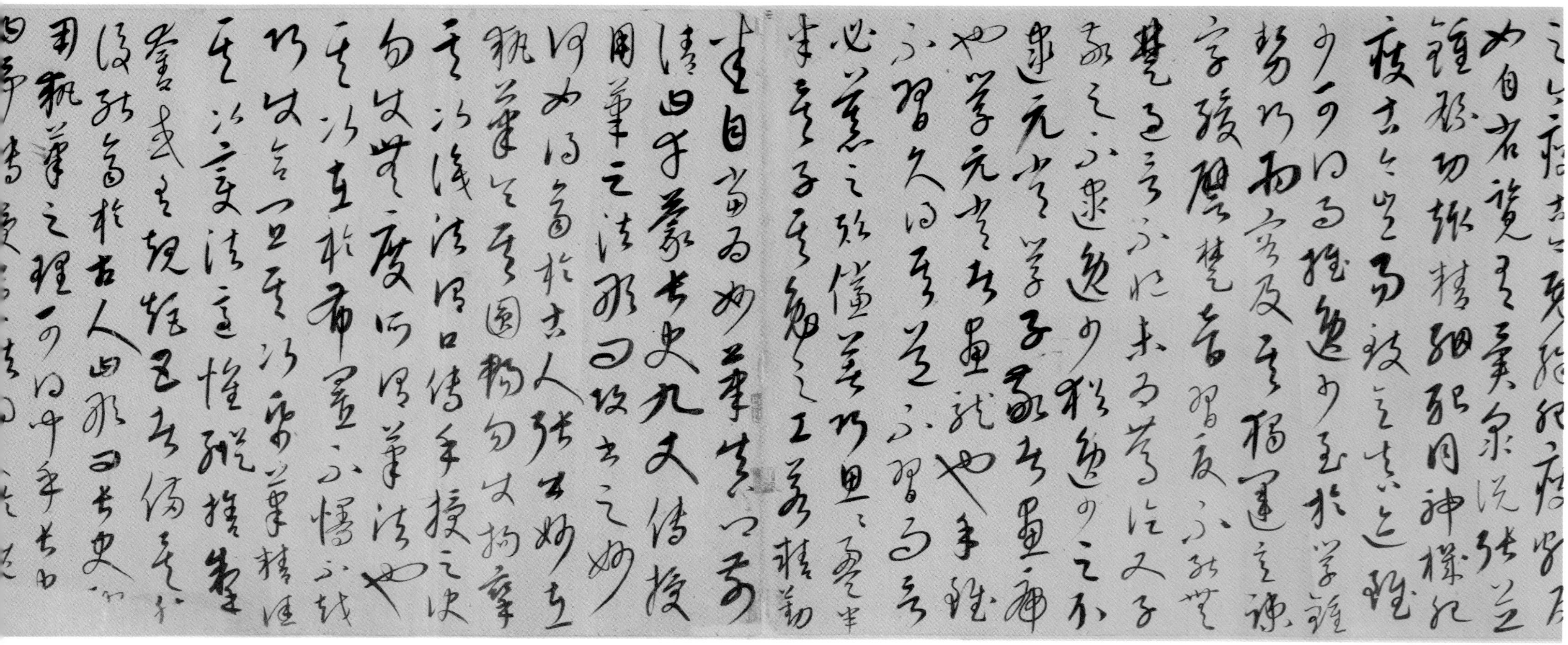